걸어가는 용기

Chat GPT 가 들려주는 30일간의 힐링 여행

이경수

걸어가는 용기

발행	|	2024년 3월 30일
저자	|	이경수
디자인	|	어비, 미드저니
편집	|	어비
펴낸이	|	송태민
펴낸곳	|	열린 인공지능
등록	|	2023.03.09(제2023-16호)
주소	|	서울특별시 영등포구 영등포로 112
전화	|	(0505)044-0088
이메일	|	book@uhbee.net

ISBN | 979-11-93116-65-4

www.OpenAIBooks.shop

걸어가는 용기

Chat GPT 가 들려주는30일간의 힐링 여행

이경수

목차

머리말

우리는 누구나 삶 속에서 어려움과 상처를 겪습니다. 그럴 때마다 우리는 위로와 응원이 필요합니다. 이 책은 CHAT GPT를 이용하여 30일 동안 매일 새로운 이야기를 들려주며, 작가와 GPT 가 독자분께 위로와 응원의 글을 줍니다. 이 이야기들은 우리의 삶에서 흔히 겪을 수 있는 일들을 다루고 있습니다. 매일 읽히는 짧은 글과 함께 동반되는 일러스트는 마음을 따뜻하게 만들어주는데, 그림과 글이 서로 어우러져 희망과 안정을 전해줍니다. 작은 성공을 계속 쌓다 보면 생각과 행동이 자연스럽게 바뀝니다. 일상이 더욱 풍요로워지고, 마음이 평온해지길 바랍니다. 꾸준한 자기 계발을 하면서 마인드가 참 중요하다는 것을 알았습니다. 나의 마인드가 무의식에서 바뀐다면 우리는 무엇이든지 할 수 있습니다. 누군가의 위로는 큰 힘이 될 수 있기에 독자분에게 위안과 응원을 주고 싶습니다. 이 책을 보시는 분께 이런 말을 해드리고 싶습니다. 나로서 당당하게 사세요. 당신은 충분히 멋진 사람입니다.

<본 도서는 Chat GPT(https://chat.openai.com/)에서 글쓰기를 했으며 그림은 Midjourney 에서 그렸습니다. 전체 디렉팅은 송태민이 진행했으며, 이경수가 AI에게 일을 시켰습니다.>

저자 소개

인생에서 가장 중요한 것은 무엇이라고 생각하세요?
건강과 마음 챙김은 서로 이어져 있습니다. 마음이 건강하지 않으면 다른 일을 제대로 할 수 없습니다. 우리의 생각과 마음을 관리하는 것은 쉽지 않습니다. 우리는 모두 마음이 약해지기 쉬워서, 긍정적이고 건강한 마인드를 가지기 위해서는 꾸준한 노력이 필요합니다.

저자 이경수는 대한투자금거래소 대구수성본점 실장으로 재직하면서 금에 대한 전문 지식을 쌓아왔습니다. 또한, 과학기술정보통신부에서 추진하는 사업인 디지털 배움터에서 강사 활동을 하고 있습니다.

스마트폰, SNS, 블로그, 인스타그램, 캔바디자인, AI 인공지능, 메타버스 등 다양한 주제로 디지털기기와 콘텐츠 강의를 하고 있습니다

책 <황금의 속삭임>을 통해 금 투자에 대한 기본적인 개념부터 금 역사 스토리, 금 투자에 필요한 정보를 담았습니다. 또한, <걸어가는 용기>를 통해 긍정적이고 건강한 마인드를 가지기 위한 방법을 소개하고자 합니다.

Part 1
새로운 시작, 함께 떠나

Day 1
"오늘은 새로운 시작의 첫 걸음"

안나는 손에 새하얀 종이를 쥐고, 방 안에 떠돌던 불안한 감정들과 함께 걸음을 내디뎠습니다. 어린 시절부터 꾸오오욱 그림을 그리는 꿈을 안고 있었지만, 언제부터인가 일상의 소홀함과 바쁜 일상 속에서 꿈을 잃어가고 있었습니다.

"오늘부터 새로운 시작을 해보자."

안나는 작은 목소리로 속삭였습니다. 그녀의 손은 천천히 종이 위를 움직이기 시작했습니다. 색다른 물감을 섞어 만든 색은 고요한 공방을 빛나게 만들었습니다. 그 순간, 안나는 자신의 미술 스튜디오를 마련하고, 꿈을 향한 첫 걸음을 내딛은 것이었습니다. 날이 갈수록 안나는 그림에서 힘을 얻었습니다. 각색된 물감이 그녀의 감정을 담아내고, 종이 위에 피어나는 작품은 고요함과 아름다움으로 가득 차 있었습니다.

그림 속에서 자신을 찾아가는 여정은 안나에게 새로운 세계를 보여주었습니다. 한 달이 지난 어느 날, 안나는 자신의 작업물을 갖고 작은 갤러리에 발을 디디었습니다. 처음에는 조심스러운 발걸음이었지만, 갤러리 주최자는 안나의 작품에 감동해 그녀를 전시회에 초대했습니다. 이 작은 갤러리가 안나에게는 전 세계를 향한 큰 발걸음이었습니다. 작은 갤러리에서 시작한 그녀의 여정은 이제 세계 여러 지역의 갤러리에서 전시되고 있었습니다.

Day 1
CHAT GPT와 작가가 전하는 따스한 위로

"어제의 아픔은 과거에 두고,

오늘은 희망의 새 출발을 꿈꿔봐요."

이 스토리는 안나의 일상에서 꿈을 찾아가는 과정을 다루고 있습니다. 그녀는 불안한 감정에 맞서고, 자신의 열정에 다시 불을 지피며 새로운 시작의 첫걸음을 내디뎠습니다. 그녀의 용기와 노력으로 원하는 결과가 나타내고 있습니다.

오늘, 우리는 모두 새로운 여정의 시작에 서 있습니다. 이 길에 발을 디딘 순간, 뭔가가 바뀔 것이라는 느낌이 흐릅니다. 그 간절한 소망과 함께, 마음은 새로운 가능성에 가득 차 있습니다. 첫걸음은 때로는 가장 어려운 일입니다. 두려움과 불안이 속삭이는 그 순간, 그래도 당신은 이 길에 발을 디딜 용기를 가졌습니다. 오늘, 당신은 과거의 짐을 내려놓고, 미래의 세계를 향해 한 걸음 나아갑니다.

이 여정에서, 자신에게 묻고 싶은 질문들이 있을 것입니다.

"내가 원하는 삶은 무엇인가?",

"내가 추구하는 행복은 어디에 있을까?"

이 질문들은 우리에게 중요한 가이드가 될 것이며, 이제 우리는 그 답을 찾기 위해 나아가야 합니다.

때로는 큰 꿈과 작은 시작 사이에는 크겠죠. 하지만 모든 위대한 이야기도 작은 순간에서 시작되었습니다. 오늘, 우리의 작은 시작은 차츰 큰 꿈으로 이어질 것입니다.

새로운 시작의 첫걸음, 이 순간을 놓치지 마세요. 이 길은 당신을 위한 것이며, 당신은 이 여정을 통해 더 나은 자신을 발견할 것입니다. 오늘, 새로운 시작에 축복을, 당신의 모든 일이 은은한 희망의 빛으로 가득하길 기원합니다.

Day 2
"마음을 가볍게 하는 작은 기쁨"

하루는 무척이나 바쁜 날이었습니다. 수많은 업무와 예기치 못한 일정들이 마음을 무겁게 만들어놓은 상태에서, 리사는 마음의 휴식이 필요한 순간을 느꼈습니다. 그녀는 마음을 가볍게 만들어주는 작은 기쁨을 찾아 나섰습니다. 그녀는 사무실 창가에 앉아, 창문을 통해 들어오는 따뜻한 햇살을 느꼈습니다. 책상 위에 놓인 작은 다육이도 눈에 띄었습니다.

"오랜만에 화분에 물 주면서 한숨 돌릴까?"

리사는 마음속으로 속삭이듯이 말했습니다. 작은 물병을 들고 다가선 그녀는 식물에 물을 주며 그 순간을 조용히 즐겼습니다.

땅에 촉촉한 물이 스며들며, 작은 잎사귀가 신선한 물방울로 반짝이고 있었습니다. 이 작은 행동이 마치 마음의 부담을 떠안아주는 것처럼 느껴졌습니다. 그리고 그녀는 사무실 창가에 앉아 차 한 잔을 마시기로 결심했습니다.

평소에는 책상에 꽂혀 있던 일상에서 벗어나, 창밖으로 내다보는 것만으로도 마음이 가볍게 느껴졌습니다. 차의 향기와 따뜻함이 그녀를 간단하지만 큰 기쁨으로 이끌었습니다. 작은 기쁨들이 차곡차곡 쌓여 나가면서, 리사는 마음의 부담을 덜어내고 있었습니다.

하루 중에 이어진 간단한 순간들이 그녀에게는 마치 힐링의 손길이었습니다. 무엇보다도, 그 작은 기쁨들은 불안한 마음을 차분하게 만들어주었습니다. 리사는 그날의 작은 기쁨들을 노트에 기록해두었습니다. 그 노트는 마치 작은 행복들의 일기장이 되어, 그녀에게는 힘든 순간에서도 긍정적인 변화를 가져다주었습니다.

Day 2
GPT와 작가가 전하는 따스한 위로

"작은 기쁨을 찾아서,

마음을 가볍게 하고 행복의 씨앗을 뿌려봐요."

이 소소한 경험이 우리에게 전해지는 메시지는 분명합니다. 삶은 때로 간단한 순간들이 만들어내는 작은 기쁨들로 가득 차 있으며, 이 작은 순간들이 모여 우리의 마음을 가볍게 만들어 줄 수 있다는 것입니다. 하루 속에서 찾아낸 이 작은 기쁨들은 우리에게 용기를 주고, 삶에 더 많은 희망을 불어넣어 줄 것입니다. 이 작은 순간들을 느끼며, 우리는 언제나 마음을 가볍게 할 수 있는 소중한 보물을 찾을 수 있다는 것을 기억해 두어야겠습니다.

어떤 날은 작은 기쁨들이 마음을 가볍게 만들어줍니다. 힘든 시간이 있다면 잠시 멈추고, 창문 너머로 들어오는 햇살을 보면서 마음에 따뜻한 휴식을 주세요. 당신의 작은 기쁨은 곧 큰 힘이 될 것입니다. 매일 매일을 작은 기쁨으로 가득 채우며, 힘들고 지친 순간들을 잠시 떨어뜨려 보세요.

Day 3
"감사의 힘, 고마움의 기록"

한 가족이 행복한 시간을 보내고 있는데도, 뜻하지 않은 어려움이 찾아왔습니다. 가장은 급작스러운 일로 인해 회사를 그만둬야 했고, 가족은 예상치 못한 경제적인 어려움에 직면했습니다. 하지만, 이들은 모두 함께 어려움을 극복하려 노력했습니다.

매일의 일상은 어려움 속에서도 변함없이 흘렀습니다. 어느 날, 엄마는 감사 일기를 쓰기로 결심했습니다. 가족들은 매일 하루 중 어떤 순간에 감사했던 것을 기록하기 시작했습니다. 처음에는 작은 것들이었습니다. 따뜻한 차, 어린이들의 웃음, 식사의 향기 등 소소한 순간들이 하나씩 노트에 담겨졌습니다.

그리고 어느 순간, 가족은 이 감사의 행위가 그들에게 큰 힘을 주고 있다는 것을 깨달았습니다. 금전적인 어려움 속에서도, 감사의 마음은 그들을 단단하게 만들어주었습니다. 노트를 통해

기록한 감사 일기는 어둠 속에서 빛이 되었고, 가족 구성원들은 서로에게 더욱 가까워졌습니다.

Day 3
CHAT GPT와 작가가 전하는 따스한 위로

"오늘은 감사의 마음으로,

삶의 작은 기적에 주목해보세요."

삶은 어떤 상황에서도 그 순간순간 소중한 선물로 가득 차 있습니다. 우리는 때로는 눈에 띄지 않는 작은 행복을 놓치곤 합니다. 하지만 감사의 눈으로 세상을 보게 되면, 삶의 아름다움을 더욱 깊이 느낄 수 있습니다.

한 가족이 예상치 못한 어려움에 직면하며 감사 일기를 시작한 것도 그러한 순간이었습니다. 처음에는 단순한 것들이었습니다. 따뜻한 차 한 잔, 가족들과 함께한 웃음, 식사의 향기 등 소소한 순간들이 감사의 대상이었습니다. 이 작은 것들이 모여 일상 속에 감사한 순간들을 발견하고 기록하는 것이 목표였습니다.

매일 하루 중에 느낀 작은 감사의 순간을 기록하면서 긍정적인 에너지를 얻을 수 있습니다.

이 소중한 감사의 기록은 그들에게 희망과 용기를 주었습니다. 그들은 힘들게 시작된 날들을 감사와 긍정의 마음으로 마무리하며, 새로운 날을 기대하고 있습니다.

매일의 일상에서 감사의 순간을 찾아 기록하는 것은 마치 마음에 작은 별들을 품은 듯한 느낌입니다. 그 작은 별들이 모여 우리의 하늘을 밝게 만듭니다. 생활의 소중한 순간들을 감사와 고마움으로 가득 채우며, 삶을 더욱 풍요롭게 만들어가길 바랍니다.

Day 4
"힘든 순간의 용기"

알렉스는 전문적 세계를 정복하려는 마음을 가지고 대학을 졸업했습니다. 그러나 졸업 후의 현실은 현란한 꿈이 무너지고 채용 기회가 사라지는 것이었습니다. 지원서는 공허함으로 사라지고 면접은 희망보다는 더 큰 실망을 안겨 왔습니다.

어느 흐린 수요일 오후, 또 다른 불합격 이메일을 받은 후 알렉스는 근처 공원을 산책하기로 결정했습니다. 불확실성과 자기 의심의 무게는 매 걸음과 함께 따라왔습니다. 알렉스가 나뭇잎들의 소리와 먼 곳에서 울리는 어린이들의 소리에 둘러싸인 산책로를 거닐며 어려운 순간이 마음속에서 반복되었습니다. 계획대로 되지 않은 면접, 꿈이 사라져가는 듯한 순간들이었습니다.

낡은 벤치에 앉아 알렉스는 용기의 본질에 대해 생각하기 시작했습니다. 불합격 이메일, 미래의 불확실성 모든 것이 부인하지 않고 하나씩 인정하기로 했습니다. 알렉스는 용기가 모든 해답을 가지고 있는 것이 아니라 불확실성을 떠나 나아가는 능력임을 깨달았습니다.

"어둠이 내 앞길을 가로막을 때, 나는 두려워하지 않았다. 모든 시련과 불행은 나에게 더 큰 힘을 줄 것이라는 것을 깨닫게 되었다. 용기는 새로운 시작을 의미한다. 나는 지금껏 겪었던 모든 난관들을 통해 배운 것이 있다. 그리고 나는 그것들이 나를 더 강하게 만들었음을 자랑스럽게 여긴다."

알렉스는 이 말을 마음에 품고, 눈앞의 어둠이 무섭지 않게 되었습니다. 그때까지의 역경은 그를 더 강인하게 만들었고, 지금의 힘든 순간이 또 다른 성장의 시작임을 깨달았습니다.

무엇보다도, 그는 자신의 꿈을 추구하는 데 실패한 것이 오직한 장면일 뿐이라는 것을 이해했습니다. 이 실패가 새로운 문을 열고, 새로운 기회로 이어질 수 있다는 것을 알렉스는 깨닫게 되었습니다. 그는 마음속에 품은 용기를 통해 과거의 아픔을 새로운 시작으로 변화시킬 수 있다는 자신감을 얻었습니다.

Day 4
CHAT GPT와 작가가 전하는 따스한 위로

"힘든 순간일수록,

당신의 용기가 빛을 발하게 됩니다."

용기란 무엇인가요?

용기는 종종 두려움에 맞서는 능력으로 정의됩니다. 그러나 용기는 두려움을 없애는 것이 아니라 두려움을 인정하고 그럼에도 불구하고 나아가는 것입니다. 알렉스는 졸업 후의 어려움을 마주하며 불안하고 두려움을 느꼈습니다. 그러나 그는 그 두려움을 부정하지 않고 인정했습니다. 그리고 그 두려움을 딛고 나아가기로 결심했습니다.

두려움을 인정하세요. 두려움을 부정하면 더 큰 두려움으로 다가올 수 있습니다. 두려움을 인정하고, 힘든 순간에 용기를 잃지 마세요. 용기는 두려움에 맞서는 회복력입니다. 거절을 받거나, 실패를 경험하거나, 미래에 불확실성이 있을 때도, 우리는 용기를 가지고 나아가야 합니다.

"힘든 순간의 용기" 우리가 지금 필요할 때입니다.

Day 5
"자신을 지켜내는 자세"

작은 마을 브룩스빌에 사는 사라라는 젊은 여성이 살고 있었습니다. 그녀는 친절함과 남을 도우려는 의지로 알려져 있었지만 종종 주위의 사람들에게 이용당하는 일이 많았습니다. 사라의 일상보다는 다른 이들의 일을 먼저 하는 것으로 가득 차 있었고, 어느 날 그녀는 자신을 위해 먼저하는 것이 중요하다는 것을 깨달았습니다.

사라는 지역 서점에서 일하는데 가끔은 까다로운 고객들을 상대해야 했습니다. 어느 날 특히 무례한 고객에게 사소한 문제 때문에 스트레스를 받은 적도 많았습니다.

무례한 고객은 불만을 토로하며 소리를 높였습니다.

고객: "이 서점에서는 항상 뭔가 문제가 생기는 것 같아! 왜 이렇게 불편한 서비스를 하는 거야?"

사라: "불만을 느끼셨군요. 그점 저에게 알려주셔서 감사해요. 저희의 의도와는 다르게 느껴졌나봐요. 먼저 죄송하다는 말 전해드립니다. 제가 해결해 드릴게요 어떤 도움이 필요하세요?"

사라는 더 이상 참지 않기로 했습니다. 그동안처럼 그냥 넘어가지 않고 깊게 숨을 들이마시고 차분하게 자신을 의견을 이야기했습니다. 이 작고 중요한 순간은 사라의 삶을 바꾸는 터닝

포인트가 되었습니다. 파급효과는 대단했습니다. 동료들은 그녀의 용기를 목격하고 비슷한 상황에서 서로를 지원하기 시작했습니다.

사라의 새로운 단호함은 그녀의 삶뿐만 아니라 주변의 이들에게 영감을 주었습니다.

Day 5 :
CHAT GPT와 작가가 전하는 따스한 위로

"자신을 소중히 여기고,

어떤 상황에서도 자신을 지켜내는 자세를 기르세요."

우리는 누구나 자신의 가치를 존중받을 자격이 있습니다. 그러나 때때로 우리는 자신의 가치를 잊고, 남을 위해 자신을 희생하기도 합니다. 사라의 이야기는 우리에게 자신을 지키는 것이 얼마나 중요한지 알려줍니다. 자신의 가치를 알고, 자신의 목소리를 내는 것이 중요합니다.

자신을 지키는 것은 쉽지 않지만, 그만큼 의미 있는 일입니다. 나를 지키는 것은 절대 이기적인 것이 아닙니다. 자신의 가치를 존중하는 것입니다. 자신을 소중히 여기고 자신의 목소리를 내는 행동은 용기의 표현이자 존중의 시작입니다. 누구든지 자신을 소중히 여기고 자신의 의견을 표현하는 것은 자기 존중의 첫걸음입니다.

처음에는 나를 표현한다는 것이 쉽지 않아요. 이것도 연습해야 합니다. 아마 무례하게 구는 사람에게 바로 말로 받아 치지 못할 경우에는, 웃지 않고 말없이 쳐다보는 것도 하나의 방법입니다. 그러면서 대화의 기술을 계속 쌓는 연습을 하다보면 웃으면

서 다시 되돌려주는 말을 하는 나 자신을 만나게 될 겁니다.

이 작은 행동이 자신을 지키는 데 도움이 됩니다. 자신을 소중히 여기고, 언제나 자신을 지켜내는 자세를 기르세요.

"자신의 목소리를 내는 것이 두렵다면, 깊게 숨을 들이마시고 차분하게 말하십시오."

Day 6
"작은 변화의 힘"

번화한 도시 메트로빌에 사는 에마라는 젊은 여성이 있었습니다. 그녀는 단조로운 루틴에 갇혀 일상을 살고 있었습니다. 어느 날, 에마는 작은 변화의 변환적인 힘에 관한 기사를 우연히 발견했습니다. 호기심에 차 있던 에마는 작은 실천으로 일상 생활에 적용해보기로 결심했습니다.

에마의 첫 번째 작은 변화는 매일 15분 일찍 일어나 차 한 잔과 조용한 시간을 즐기는 것이었습니다. 처음에는 사소해 보였지만, 이 작은 실천은 에마의 아침에 큰 영향을 미쳤습니다. 추가된 시간은 그녀에게 차분함과 목표를 갖고 하루를 시작할 수 있는 기회를 제공했습니다.

이 성공에 격려받아 에마는 계속해서 작은 변화를 만들어 나갔습니다. 점심 시간에 짧은 산책을 하고, 평소 오후 간식을 건강한 옵션으로 바꾸며, 매일 저녁 10분을 명상에 투자했습니다. 시간이 흐름에 따라 이런 사소한 루틴들은 에마의 삶에 긍정적인 파급효과를 일으켰습니다.

Day 6 :
CHAT GPT와 작가가 전하는 따스한 위로

"작은 변화가 큰 기적을 만든다.

오늘은 작은 변화로 시작해보세요."

'아주 작은 습관의 힘'을 쓴 저자 제임스 클리어는 작은 습관들이 우리의 인생에 미치는 긍정적인 영향을 강조하며, 그것이 큰 목표를 향한 여정에서 우리를 도와줄 것이라고 말합니다. 작은 변화는 큰 목표를 달성하는 지름길입니다. 우리는 때로 큰 목표에 집중하면서 작은 것들을 간과하기 쉽습니다. 그러나 클리어의 말처럼, "매일 조금씩 나아가고, 작은 습관들을 쌓아가면" 우리는 새로운 단계로 나아갈 수 있습니다.

에마의 이야기는 작은 변화가 우리 삶에 얼마나 큰 영향을 미칠 수 있는지를 보여줍니다. 작은 변화는 우리에게 더 나은 삶을 살 수 있는 힘을 줄 수 있습니다. 우리도 에마처럼 일상 생활에 작은 변화를 만들어 보세요. 무엇이 있을까요?

5분 짧은 산책 하기, 아침에 이불정리하고 하루 시작하기,

하루에 한번 친구와 가족과 더 자주 연락하기. 등

작은 변화부터 시작하세요. 너무 많은 것을 시도하면 좌절감을 느낄 수 있습니다. 지금, 작은 변화의 힘을 믿어보고 나 자신에

게 도전하는 것은 어떨까요? 아침에 이불정리하는 것부터 시작해보세요. 새로운 감정을 느끼실거에요.

 이 작은 노력이 큰 성과를 만들어낼 것입니다.

"작은 변화는 당신의 삶을 더 나은 방향으로 변화시킬 수 있습니다."

Day 7
"마음의 소리에 귀 기울이기"

조용한 작은 마을 하모니빌에는 릴리라는 젊은 여성이 살고 있었습니다. 릴리는 삶의 갈림길에 서 있었으며, 타인의 기대를 따를지 아니면 내가 하고 싶은 것을 하고 있을 것인지. 어느 날 그녀는 평화로운 호수 가장자리에 서서 자신이 어떤 길을 선택해야 할지 고민했습니다.

릴리가 고요한 물을 바라보는 동안 그녀는 할머니의 지혜로운 말을 떠올렸습니다.

"릴리, 네 마음은 길을 알고 있단다. 너를 믿으면 내면의 진정한 조화를 찾을 수 있을 거야."

릴리는 평화로운 호수에 눈을 뜨고, 마음을 비워내어 기대와 타인의 의견이 아닌 진정한 자기의 목소리를 듣고자 했습니다. 그녀는 할머니의 말에 영감을 받아 "내 마음은 길을 알고 있다"라는 생각을 갖게 되었습니다. 이는 자기 자신에게 믿음을 주는 출발점이었습니다.

이제 릴리가 자아를 발견하는 여정의 다음 단계는 취미를 통해 자신의 열정과 흥미를 살펴보는 것이었습니다. 그림을 그리는 것은 그녀가 예전에 놓쳤던 즐거움이었습니다. 브러시가 캔버

스 위에서 자유롭게 움직이면서, 릴리는 감정의 춤을 춘 것처럼 느꼈습니다. 그림을 그림으로써, 그녀는 자아를 표현하고 자신의 감정을 시각적으로 드러내는 방법을 발견했습니다.

이런 작은 시작이 릴리에게 자아를 찾아가는 길을 열어주었습니다. 자신의 열정과 흥미에 집중하면서, 그녀는 삶에서 더 큰 만족감을 느낄 수 있었습니다. 이러한 작은 결정들이 자아의 발견을 이끄는 첫걸음이었습니다. 릴리는 자기 자신과 솔직해지며, 어떤 것이 그녀에게 진정한 행복을 가져다 줄지를 깨달았습니다. 이것은 누구나 가질 수 있는 용기와 존중의 표현이었습니다.

Day 7
CHAT GPT와 작가가 전하는 따스한 위로

"당신의 마음이 전하는 소리를 듣고,

그 소리에 따라 마음을 따뜻하게 해봐요."

릴리의 이야기는 우리 모두에게 용기를 줍니다. 우리는 모두 자신의 삶을 주도하고, 진정한 행복을 찾을 수 있는 능력이 있습니다. 자기 마음의 속삭임을 듣는 것은 쉽지 않습니다. 하지만 그것은 진정한 행복을 찾는 데 필수적인 첫걸음입니다. 자신 마음의 말을 듣고, 자신의 열정에 집중하며, 취약함을 두려워하지 마세요. 그러면 여러분도 릴리처럼 진정한 자아를 찾고, 행복한 삶을 살 수 있을 것입니다.

하루에 3시간 열정에 집중해보세요. 그 시간들은 꾸준하게 쌓이고 1년이 지나 2년, 5년이 되면 자기도 모르는 순간 전문가가 되어 있습니다.

자신의 마음의 소리를 듣고 따르는 것은 자기 성장과 진정한 행복으로 이끄는 길입니다. 이제 여러분도 릴리처럼 자신의 마음을 따라 행복한 삶을 살아가 보세요. 그 소리는 당신에게 진정한 의미의 인생을 선사할 것입니다.

"우리에게 마음의 소리에 귀 기울일 때, 진정한 행복과 만족을 찾을 수 있다는 것을 보여줍니다."

Day 8
"평온을 찾는 자세"

어느 날, 에밀리는 회사에서 중요한 프로젝트를 맡게 되었습니다. 프로젝트는 성공 가능성이 높지만, 동시에 많은 스트레스를 받을 것으로 예상했습니다. 에밀리는 프로젝트에 대한 부담감과 불안감으로 잠을 이루지 못하고, 식욕도 감퇴했습니다. 그녀는 자신이 곧 무너질 것만 같았습니다.

그러던 어느 날, 에밀리는 마음챙김에 대한 책을 읽게 되었습니다. 책에서 그녀는 마음챙김이 스트레스를 줄이고, 평온함을 찾는 데 도움이 된다는 것을 알게 되었습니다. 에밀리는 마음챙김을 연습하기로 결심했습니다.

에밀리는 하루에 몇 분씩 시간을 내어 심호흡을 하거나, 산책을 하거나, 마음챙김 명상을 했습니다. 처음에는 쉽지 않았지만, 그녀는 꾸준히 연습했습니다.

일주일, 두 달, 세 달이 지나면서 에밀리는 변화를 느끼기 시작했습니다. 스트레스 수치가 감소하고, 정신이 맑아졌습니다. 그녀는 프로젝트에 대한 부담감과 불안감에도 불구하고, 평온한 마음으로 도전할 수 있게 되었습니다.

에밀리의 이야기는 우리에게 평온함을 찾는 것이 가능하다는 희망을 줍니다. 바쁜 일상 속에서도 우리는 마음챙김을 통해 평온함을 찾을 수 있습니다.

Day 8
CHAT GPT와 작가가 전하는 따스한 위로

"일상의 소소한 순간에서 평온을 찾으며,

지금의 순간을 즐기세요."

현대 사회는 우리에게 많은 스트레스를 줍니다. 하지만 우리는 이러한 스트레스 받지 않고, 자신 내면을 통해 평온함을 찾을 수 있습니다. 짧은 마음 챙김 휴식 시간을 통해 평온함을 찾는 자세를 연습해 보세요. 여러분의 삶에 큰 변화를 불러올 것입니다.

평온함을 찾는 방법은 다양합니다. 호흡을 세는 것입니다. 심호흡은 가장 기본적이면서도 효과적인 평온함 찾기 방법 중 하나입니다. 숨을 깊게 들이마시고 1을 세고, 숨을 멈춘 뒤 4초 기다리세요. 그리고 숨을 내쉽니다. 심호흡하면서 자신의 호흡에 집중하면, 혈압과 심박수를 안정시키는 효과가 있습니다.

Day 9
"자신을 위한 자유"

어느 작은 마을에 '하늘'이라는 소녀가 살고 있었습니다. 하늘은 밝고 명랑한 성격의 소녀였지만, 한 가지 고민이 있었습니다. 그것은 바로 다른 사람의 평가에 너무 민감하다는 것이었습니다. 하늘은 자신이 하는 말이나 행동이 다른 사람에게 어떻게 비춰질지 항상 신경 쓰였습니다. 그래서 남들이 좋아할 만한 말과 행동을 하려고 노력했습니다.

하지만 그렇게 하다 보니, 점점 자신이 아닌 다른 사람의 모습을 연기하고 있다는 느낌이 들었습니다. 그러던 어느 날, 하늘은 우연히 한 시를 읽게 되었습니다. 그 시에는 다음과 같은 구절이 있었습니다.

"다른 사람의 평가에 구애받지 말고, 당당하게 자신을 편하게 표현하세요."

이 시를 읽은 하늘은 큰 깨달음을 얻었습니다. 그 후로 하늘은 다른 사람의 평가에 구애받지 않고, 자신을 편하게 표현하기 시작했습니다. 자신이 좋아하는 옷을 입고, 하고 싶은 말을 했습니다. 처음에는 어색하고 두려웠지만, 시간이 지날수록 자신감이 생겼습니다.

하늘은 자신을 있는 그대로 표현하면서 삶이 더욱 행복해졌습니다. 자신이 원하는 것을 할 수 있고, 자신이 좋아하는 사람들과 함께할 수 있었습니다.

Day 9
CHAT GPT와 작가가 전하는 따스한 위로

"다른 사람의 평가에 구애받지 말고,

당당하게 자신을 편하게 표현하세요."

다른 사람의 평가에 구애 받지 않고, 당당하게 자신을 표현하는 것은 쉽지 않습니다. 하지만 그만큼 큰 용기가 필요합니다. 자신을 있는 그대로 표현하기 위해서는 다음과 같은 노력이 필요합니다.

용기 내어 나의 의견을 내세요. 다른 사람에게 너무 맞추지 말고 자신을 표현해 보세요. 처음에는 어색하고 두려울 수 있지만, 용기를 내어 자신을 표현해 보세요.

자신을 있는 그대로 받아들여 보세요. 다른 사람의 평가에 구애받지 않기 위해서는, 먼저 자신을 있는 그대로 받아들여야 합니다. 완벽하지 않아도 괜찮아요. 모든 사람은 다 실수투성이거든요. 실수할 때는 실수해도 괜찮다고 말해보세요. 훨씬 마음이 편안해질거에요. 그리고, 다시 힘내볼까 하면서 일을 하는 멋진 자신 모습을 보게 될 겁니다.

자신에 대한 확신을 가져보세요. 자신을 있는 그대로 표현하기 위해서는 자신에 대한 확신이 필요합니다. 자신이 무엇을 원하는지, 무엇을 할 수 있는지 확신을 가져야 합니다.

Day 10
"꿈을 향한 여정"

어느 작은 마을에 '은별'이라는 소녀가 살고 있었습니다. 은별은 어릴 때부터 그림 그리기를 좋아했습니다. 그녀는 그림을 통해 자신의 생각과 감정을 표현하는 것을 즐겼습니다.

은별은 커서 화가가 되겠다는 꿈을 가지고 있었습니다. 하지만 그녀의 부모님은 그녀의 꿈을 반대했습니다. 부모님은 화가라는 직업이 안정적이지 않다고 생각했습니다.

은별은 부모님의 반대에도 불구하고, 자신의 꿈을 포기하지 않았습니다. 그녀는 고등학교를 졸업한 후, 미술대학에 진학했습니다.

대학에서 은별은 열심히 그림을 공부했습니다. 그녀는 다양한 기법을 익히고, 자신의 그림을 발전시키기 위해 노력했습니다.

졸업 후, 은별은 화가로서 첫발을 내디뎠습니다. 그녀는 자신의 작품을 전시회에 출품했고, 미술관에서 전시회를 열기도 했습니다.

은별의 그림은 사람들에게 큰 호응을 얻었습니다. 그녀의 그림은 따뜻하고 감성적인 느낌을 주었습니다. 사람들은 그녀의 그림을 통해 위로와 희망을 얻었습니다.은별은 자신의 꿈을 이루기 위해 많은 노력을 했습니다. 그녀는 때로는 실패와 좌절을 겪기도 했지만, 포기하지 않고 자신의 꿈을 향해 나아갔습니다.

Day 10
CHAT GPT와 작가가 전하는 따스한 위로

"당신의 꿈을 향해 한 걸음씩 나아가면,

더 나은 미래가 펼쳐집니다."

꿈을 포기하지 마세요. 꿈을 이루기 위해서는 많은 노력과 인내가 필요합니다. 중요한 것은 실천입니다. 꿈을 이루기 위해 노력하고 실천해야 내 꿈을 위해 나아갈 수 있습니다.

내 꿈을 이루기 위해 하루에 3~5시간씩 집중해서 공부하세요. 그럼 그 꿈은 자연스레 이루어지게 되어 있습니다.

다른 사람의 말에 흔들리지 말고, 자신의 길을 걸어가세요. 자신의 꿈을 이루기 위해 최선을 다하세요. 다른 이들의 의견이나 기대에 휘둘리지 말고, 당신만의 고유한 길을 찾아 나아가세요. 그 길에는 어려움과 도전이 있겠지만, 그 속에서 얻게 되는 것들이 당신을 더욱 강하게 만들 것입니다.

꿈을 향한 이 여정에서 항상 기억하세요: 작은 한 걸음씩 나아가면, 당신은 더 나은 미래를 향해 펼쳐지는 여정을 즐기게 될 것입니다.

Part 2

힘든 순간, 나만의 용기

Day 11
"자신을 아끼는 마음"

어린 시절부터 항상 남을 위해 헌신하고 돌아다니며 바쁜 삶을 살아왔던 지수. 그러다 보니 자신을 아끼는 것을 잊고 살아가고 있었습니다. 그러던 어느 날, 그녀는 스트레스와 피로로 지친 몸과 마음을 달래기 위해 강릉의 조용한 바닷가로 여행을 떠났습니다.

바닷가에서 책을 읽고 해변을 거닐며, 지수는 자연과 조용한 소리들 사이에서 자신에 대해 생각하게 되었습니다. 파도 소리와 시원한 바닷바람은 그녀에게 평온함을 전해주었고, 마음의 무게가 가벼워지는 느낌이었습니다.

여행 중, 그녀는 작은 카페에서 따뜻한 차를 마시며 일기를 쓰기 시작했습니다. 그리고 그 일기에는 자신을 아끼고 존중하는 마음을 담아냈습니다. 지수는 자신이 힘들 때면 이 일기를 다시 읽으면서, 작은 일상의 순간들에서 행복을 찾아보기로 결심했습니다.

Day 11
CHAT GPT와 작가가 전하는 따스한 위로

"자신을 아끼고 존중하는 마음은 당신을 더욱 강하게 만듭니다."

우리는 누구나 소중한 존재입니다. 자신을 아끼고 존중하는 것은 우리 자신을 위한 일이자, 다른 사람들을 위한 일입니다.

자신을 아끼고 존중하기 위해서는, 먼저 자신에 대해 알아야 합니다. 자신의 장점과 단점을 알고, 자신의 감정을 잘 표현하는 것이 중요합니다. 또한, 자신의 건강과 행복을 위해 노력하는 것도 중요합니다.

자신과 늘 대화하세요. 매일 매일 다이어리에 감사하기, 긍정 확언등을 쓰면서 자기 자신을 돌아보고 대화를 한다면 자신을 사랑하게 됩니다. 자신을 아끼고 존중하는 마음을 키워 나간다면, 여러분은 어떤 어려움도 이겨낼 수 있는 강한 사람이 될 것입니다.

오늘부터 나를 소중하게 대해주세요. 내가 나를 안아주고, 아껴야합니다. 우리는 소중하니까요.

Day 12
"과거의 새로운 해석"

민수의 이야기

어느 작은 마을에 '민수'라는 소년이 살고 있었습니다. 민수는 어렸을 때부터 가난한 집안에서 자랐습니다. 부모님은 항상 돈 때문에 싸우셨고, 민수는 그런 부모님을 보며 마음이 아팠습니다. 민수는 학교에서도 친구들과 잘 어울리지 못했습니다. 민수는 가난한 집안 출신이라는 이유로 친구들에게 따돌림을 당했습니다.

민수는 어린 나이에 많은 아픔을 겪었습니다. 그는 자신을 불행한 사람이라고 생각했고, 미래에 대한 희망을 잃어버렸습니다. 그러던 어느 날, 민수는 우연히 한 책을 읽게 되었습니다. 그 책에는 다음과 같은 구절이 있었습니다.

"과거의 아픔은 우리가 성장하는 데 필요한 과정입니다. 그 아픔을 통해 우리는 강해지고, 더 나은 사람이 될 수 있습니다."

민수는 그 책을 읽고, 자신에게 일어난 일들을 새로운 시각에서 바라보기 시작했습니다. 그는 자신이 겪은 아픔들이 자신을 성장시켜 주고, 더 나은 사람이 되도록 도와주고 있다는 것을 깨달았습니다. 민수는 자신의 아픔을 통해 배운 것들을 바탕으로 새로운 삶을 시작했습니다.

그는 열심히 공부하여 좋은 대학에 진학했고, 좋은 직장에 취직했습니다. 또한, 어려운 사람들을 돕는 자원봉사 활동에도 참여했습니다. 민수는 과거의 아픔을 통해 더 나은 사람이 되었습니다. 그는 이제 더 이상 불행한 사람이 아니라, 희망찬 미래를 꿈꾸는 사람이 되었습니다.

Day 12
CHAT GPT와 작가가 전하는 따스한 위로

"과거의 아픔을 새로운 시각에서 바라보면, 새로운 희망을 찾을 수 있습니다."

과거의 아픔은 우리가 성장하는 데 필요한 과정입니다. 그 아픔을 통해 우리는 강해지고, 더 나은 사람이 될 수 있습니다. 쉬운 일은 아닙니다. 하지만 우리는 용기를 내어서 앞으로 나아가야 합니다. 용기를 내어 과거의 아픔을 마주하고, 새로운 삶을 시작해 보세요. 내 인생이니까요. 나의 하나뿐인 인생입니다.

어떤 일이 있었든, 과거의 아픔을 새로운 시각에서 다시 바라보면 새로운 희망을 찾을 수 있습니다. 그 경험들은 우리를 강하게 만들어주고, 우리가 원하는 미래를 향해 나아갈 힘을 줍니다.

내가 힘든 상황에 있을 때, 계속 부정적인 생각만 가진다면 우리는 계속 깜깜한 터널 속에 있을 것입니다.

"우리 집은 현재 돈이 없고, 가난하며, 난 공부를 못해서 취직도 못하고 실패자야." 이런 생각을 많이 하고 계시지 않나요? 당연한 생각입니다. 바로 현실적인 문제니까요. 하지만, 부정적이고 불행한 생각을 가지게 만드는 것은 다른 사람도 아닌 바로 자기 자신입니다. 긍정적인 믿음은 잠재의식을 좋게 일으키고 있습니다.

지금 힘드신가요? 나의 불행적인 상황을 속여보세요 매일 스스로 긍정적인 말을 반복적으로 하는 것입니다.

"나는 해낼 수 있는 사람이야.", "나는 5년 뒤에 50억 자산가가 되어있다.", "나는 3년 뒤에 유명한 작가가 되었다."

등 내가 원하는 목표를 그려보는 것입니다.

이건 강한 믿음이 있어야 합니다. 목표를 머릿속에 상상

하거나 말하면서 긍정적인 마음을 가지게 됩니다. 믿어보세요. 그리고 매일 반복적으로 긍정 확언을 말하시면 기적이 일어납니다.

Day 13
"자유로운 심장으로 살기"

우리는 삶 속에서 다양한 도전과 어려움에 부딪히면서 종종 마음이 무거워지고 힘이 빠질 때가 있습니다. 자유로움 마음으로 살기는 어떤 의미를 갖고 있을까요

한 가족, 마크와 그의 두 아이, 에밀리와 루카는 어느 작은 도시에서 평범한 일상을 살아가고 있었습니다. 마크는 일상적인 업무에 치여 바쁜 일상을 보내고, 에밀리와 루카는 학교에서의 압박과 친구들과의 관계에서 스트레스를 받았습니다.

어느 날, 가족은 예상치 못한 경제적 어려움에 직면했습니다. 마크는 일자리를 잃었고, 가족은 급작스런 변화에 대처해야 했습니다. 이 어려움은 가족 구성원들의 마음에 무겁게 남아, 모두가 어둠에 휩싸인 듯한 기분이었습니다. 그러나 이 어려운

시기에 어둠 속에서 빛을 찾고자 노력했습니다. 먼저, 그는 가족에게 "우리는 함께 이겨낼 것이다"라고 말했습니다. 이 말은 마음에 힘을 심어주었고, 가족 구성원들은 마크의 긍정적인 에너지에 영감을 받았습니다.

마크는 일자리를 찾는 동안 가족과 함께하는 시간을 소중히 여기기로 했습니다. 가족은 자주 함께 산책을 나가거나, 함께 요리를 하며 즐거운 순간을 만들었습니다. 이런 작은 순간들이 가족의 마음을 가볍게 만들어주었습니다. 그리고 마크는 자유로운 마음으로 살기 위해 자기계발에도 힘썼습니다. 새로운 기술을 배우고, 취미를 키우며, 긍정적인 마인드셋을 유지하려 노력했습니다. 그 결과, 마크는 어려움을 극복하고 새로운 일자리를 얻게 되었습니다.

Day 13
CHAT GPT가 전하는 따스한 위로

"자유로운 심장으로 살면, 당신은 새로운 가능성을 찾을 수 있습니다."

우리는 누구나 인생에서 어려움을 겪게 됩니다. 그 어려움은 경제적 어려움, 건강상의 어려움, 관계상의 어려움 등 다양할 수 있습니다. 이러한 어려움을 겪으면, 세상이 무너지고 좌절되게 됩니다. 모든 것을 포기하고 싶은 순간이 올 수 있습니다. 하지만 이러한 어려움 속에서도 우리는 일어나야 합니다. 그래야 우리가 살아갈 수 있습니다.

깜깜한 밤 속에서, 비가 주르륵 내리고 있습니다. 어둠은 앞이 보이지 않을 정도로 깊었고, 비는 차가웠습니다. 그러나 걸어 나가보세요. 어둠이 새벽을 맞이하듯 밝아질 것이며, 비도 언젠가 그칠 것입니다.

현재의 앞날이 어둡고, 넘어지고 추운 현실에도 불구하고

조금만 더 버티면 어둠이 새벽을 맞이하듯 나에게도 빛이 올 순간들이 있을 겁니다. 어떤 난관이든 이겨 나가는 것은 힘든 일일 수 있습니다. 하지만 지금 당신이 겪고 있는 어려움은 단지 지나가는 장면 중 하나일 뿐입니다.

어둡고 차가운 밤도 결국은 밝은 아침으로 변하게 됩니다. 그리고 지금 당신이 겪고 있는 어둠 속에서도 희망의 빛을 발견할 수 있을 것입니다. 그러니 계속해서 나아가세요. 더 나은 내일을 향해 걸어 나가면, 어둠과 비는 언젠가 멈출 것입니다.

울면서도 계속 걸으세요.

Day 14
"자아를 발견하는 여행"

우리 삶은 종종 끊임없는 도전과 여정으로 가득차 있습니다. 그 중에서도 자아를 찾아가는 여행은 특별한 의미를 가집니다. 이 여정은 자기를 이해하고 받아들이는 것에서 비롯되며, 독자들이 공감할 수 있는 이야기를 보겠습니다.

한 여성, 클레어는 긴 시간 동안 자신의 역할과 책임 속에서 사라져버린 듯한 느낌을 갖고 있었습니다. 회사에서의 업무, 가족과의 관계, 사회적 기대 등이 그녀를 감싸 안고 있었고, 자신의 가치와 소망을 찾기 어려웠습니다. 그러던 어느 날, 클레어는 자아를 발견하는 여정을 떠나기로 결심했습니다.

클레어는 일상에서 벗어나 새로운 경험을 찾기 시작했습니다. 그녀는 예술 수업에 참가하고, 자연 속을 거닐며 새로운 취미를 찾아보았습니다. 이를 통해 클레어는 예전에 잊혀진 창조적인 면과 연결되며, 마음 속 깊숙한 곳에서 흘러나오는 자신만의 소리를 발견했습니다.

클레어는 마음을 정화하고 내면의 목소리에 귀 기울이기 위해 명상과 여행을 택했습니다. 그녀는 일상의 소란에서 벗어나 마음을 가다듬고, 새로운 관점을 찾아내는 과정에서 자기에 대한 통찰을 얻었습니다. 이러한 심금을 울리는 순간들은 그녀에게 자아를 깨닫게 해주었습니다.

클레어는 독서와 자기계발에 힘쓰면서 자아의 깊이에 대한 탐험을 진행했습니다. 다양한 책들을 통해 세계 각지의 이야기와 지혜를 접하며, 그녀는 자기 자신에 대한 새로운 이해를 얻었습니다. 그것은 마치 자아를 발견하는 모험의 일환으로, 성장과 깨달음이 함께하는 여정이었습니다.

Day 14
CHAT GPT와 작가가 전하는 따스한 위로

"자아를 찾는 여정은 흥미진진하고 아름다운 여행입니다."

클레어의 이야기는 자아를 찾아가는 여정이 얼마나 강력하고 의미 있는지를 보여줍니다. 자아를 발견하는 과정에서 '나는 나만의 독특한 존재이다.'

'나의 가치와 소망은 나만이 결정할 수 있다.'

'나는 나를 사랑하고 존중해야 한다.'

와 같은 지혜를 가져다줍니다. 자아를 발견하는 여정을 통해 우리는 진정한 행복과 자유를 찾을 수 있을 것입니다.

"나는 너무 늦었어."

"하고 싶은 일이 없어."

이렇게 생각하시나요? 나를 찾는 것은 쉬운 일이 아닙니다. 그것은 20대, 30대, 40대 나이가 들어도 내가 무엇을 하면 좋을지 명확한 답을 내리지 못합니다. 그러니 불안해 하지 마세요. 우선 지금부터 하나씩 해보면서 찾아가는 것이 중요합니다. 많은 것을 해보세요. 많은 것을 시도하다 보면 내가 좋아하는 것을 찾게 됩니다. 아주 가벼운 것부터 해보세요.

Day 15
"자신의 힘을 믿기"

우리 모두는 삶 속에서 어려운 시간을 겪게 되곤 합니다. 이런 순간들에서 자신의 힘을 믿는 것은 용기 있는 도전입니다. 다음의 이야기를 보면서 우리 생각해봐요.

마리아는 어린 시절부터 낮은 자아존중감과 사회적 불안에 시달렸습니다. 학교에서의 부정적인 경험과 비난은 그녀의 자아감이 낮아지고, 능력을 의심하게 되었습니다. 학교는 많은 사람들이 자기 개발과 정체성 형성의 핵심적인 공간 중 하나입니다. 하지만 마리아는 학교에서의 경험들이 그녀의 자아에 부정적인 영향을 미쳤습니다. 아마도 친구들이나 교사들로부터 비난을 받거나, 다른 사람들과의 비교 속에서 자신의 가치를 낮게 평가받았을 것입니다.

이러한 경험들은 자아 존중감을 형성하는 과정에서 상처를 남겼습니다. 다른 사람들과의 비교 속에서 마리아는 자신의 능력이나 가치를 충분히 높게 평가하지 못하게 되었습니다. 부정적인 경험은 자아에 대한 불안과 의심을 증폭시켰고, 그 결과 자주 자기 비하에 빠지게 되었습니다.

그녀는 학교에서 학업적으로 어려움을 겪었지만, 미술에 대한 열정을 발견했습니다. 하지만 자신의 예술적 재능을 믿지 못하고 있었습니다.

마리아는 자신을 받아들이고 자신의 강점을 찾기 시작했습니다. 그녀는 미술 수업에 참가하고, 창작의 즐거움을 느끼며 자신의 예술적 능력을 키우기 시작했습니다. 이를 통해 그녀는 자신의 특별함에 대한 확신을 얻었습니다. 마리아는 자신에게 부정적인 생각과 비교의 감정에 맞서기로 했습니다. 그녀는 주변의 기대나 평가에 휘둘리지 않고, 자신의 창작물을 통해 자신만의 목소리를 찾아가기 시작했습니다. 이는 그녀가 자신의 힘을 발견하는 첫걸음이었습니다.

Day 15
CHAT GPT와 작가가 전하는 따스한 위로

"자신의 내면에 흘러가는 힘을 믿으면, 무엇이든 이길 수 있습니다."

우리가 어려움에 부딪혔을 때 자신의 힘을 믿고 도전할 수 있다는 희망을 전합니다. 자신의 가치를 발견하고 받아들이면서, 우리는 새로운 가능성을 찾을 수 있습니다.

상처를 인정하지 않으면, 그 상처는 계속해서 우리를 괴롭힐 것입니다. 상처를 인정하고, 그 상처가 우리에게 어떤 영향을 미쳤는지 이해하는 것이 중요합니다. 긍정적인 경험은 우리의 자아를 회복시키고, 우리를 더욱 강하게 만들어줍니다. 새로운 경험을 하며, 자신에게 좋은 영향을 미치는 사람들과 함께하세요. 자신을 사랑하고 존중하세요. 다른 사람의 평가에 의존하지 말고, 스스로를 사랑하고 존중하세요. 자신의 가치를 스스로 결정하고, 자신을 믿으세요.

학교, 사회에서 다른 사람이 나를 평가하는 것은 썩 유쾌하지 않은 일입니다. 우리는 매일 일상을 그 속에서 생활하고 있습니다. 누군가의 말 속에서 상처받고, 좌절하고 있을지도 모릅니다. 하지만, 그뿐입니다.

너무 그 말속에 깊게 들어가지 마세요. 아무 말 하는 사람의 말을 우리는 깊게 들어줄 필요 없습니다. 깊이 생각하지 마세요. 그 생각에서 나오시길 바랍니다.

우리는 엄청난게 근사한 사람입니다.

Day 16
"자존감의 꽃 피우기"

우리는 종종 자존감이라는 정원에서 다양한 꽃들을 피우는 여
정을 걷게 됩니다. 어떻게 자존감의 꽃을 피우는지 스토리를
통해 알아볼까요

한 여성, 리나는 오랫동안 낮은 자존감과 자신에 대한 믿음의 부재로 인해 내적인 고통을 겪어왔습니다. 그녀는 자주 다른 사람들과 자기를 비교하며 자신의 가치를 의심했고, 외부의 평가에 지나치게 민감해져 있었습니다.

어느 날, 리나는 자존감을 키우기 위한 여정에 나서기로 마음먹었습니다. 그녀는 먼저, 스스로에게 친절해지기로 결심했습니다. 매일 아침, 거울에 비친 자신에게 긍정적인 말을 건네며, 자신을 격려하고 사랑하는 것으로 시작했습니다. 이것은 마치 자존감의 꽃들이 피어나기 시작한 것과 같았습니다.

리나는 자기 자신에게 용서의 여정에 나서게 되었습니다. 과거의 실수와 부끄러운 기억들을 받아들이고, 자신에게 용서를 부여하는 것이었습니다. 이는 마치 자존감의 정원에 새로운 씨앗들이 심어지는 것과 같았습니다. 리나는 주변의 기대나 평가에 덜 민감해지기 위해노력했습니다. 그녀는 자신만의 기준과 가치를 찾아가며, 다른 사람들의 시선에 휩쓸리지 않는 방법을 찾아냈습니다. 이는 마치 자존감의 꽃들이 더욱 풍성해지는 것과 같았습니다.

Day 16
CHAT GPT와 작가가 전하는 따스한 위로

"자존감의 꽃은 자신을 사랑하고 받아들이는 마음에서 피어납니다."

리나의 여정은 어떻게 하면 자존감을 키울 수 있는지를 보여주고 있습니다. 그녀는 스스로 친절하게 대하고, 과거의 실수를 용서하며, 다른 사람들의 평가에 덜 민감해지면서, 자존감의 꽃들이 피어나기 시작했습니다. 이런 경험은 우리 모두에게 영감과 용기를 줄 수 있으며, 자존감의 정원에서 더욱 아름다운 꽃들을 피울 수 있음을 보여줍니다.

나 자신을 자주 토닥거려 주세요. 나를 안고 가야 다른 것을 시작할 수 있습니다. 때론 내가 실수 할 수 있습니다. 자기 자신을 비하하지 마시고, 긍정적인 말로 나를 보듬어주세요. 그만큼 우리 자신은 소중합니다.

자존감은 하루아침에 바로 생기지 않습니다. 이 험난한 세상을 강하게 살아가기 위해서는 자존감이 중요합니다. 리나가 했던 과정들은 참 좋습니다. 너무 많은가요? 그럼, 하루에 하나라도 꼭 해보세요. 아주 사소한 것이라도 좋습니다. 감사하기 어떠세요. 감사함을 말로 하는 자체가 참 중요합니다.

'당신은 해낼 수 있는 사람입니다.'

Day 17
"자아에 대한 긍정의 언어"

한 청년, 준호는 오랜 기간 동안 자신에 대한 부정적인
언어를 사용하며 살아왔습니다. 어린 시절부터의 상처와
실패로부터 나온 자존감 문제로 그는 자주 자신을
비난하고, 자기 자신에 대한 허물만을 찾아내는 경향이
있었습니다.

어느 날, 준호는 이 부정적인 언어가 그에게 어떤 영향을 미치는지 깨달았습니다. 그는 자신의 언어에 주목하고, 어떤 말을 사용하는지를 분석하기 시작했습니다. 그 결과, 그의 대화가 자신을 자주 공격하고 제약하는 것을 발견했습니다.

준호는 부정적인 언어를 긍정적인 언어로 바꾸기로 결심했습니다. 자주 사용하던 부정적인 단어와 문구를 긍정적인 표현으로 바꾸는 것은 그에게 큰 도전이었습니다. 하지만 이는 마치 자아에 대한 긍정의 씨앗들이 심어지는 것과 같았습니다.

준호는 자신에게 허용과 용서의 언어를 사용하기 시작했습니다. 과거의 실수와 부족함에 대해 자주 용서하고, 그 자체로 가치 있는 존재임을 자주 언급하는 것으로 자기 자신에 대한 관점을 바꾸기 시작했습니다. 이것은 마치 자아에 대한 긍정의 꽃들이 피어나기 시작한 것과 같았습니다.

준호는 자신에게 자주 격려의 말을 건넸습니다. 성취와 성공에 대한 자주자주 격려의 말을 전하면서, 자신이 능력을 가지고 있고 가치 있는 존재임을 다시금 확인했습니다. 이는 마치 자아에 대한 긍정의 언어로 꽃을 피우는 것과 같았습니다.

Day 17
CHAT GPT와 작가가 전하는 따스한 위로

"긍정의 언어로 자신을 이야기하면, 긍정의 미래를 창조할 수 있습니다."

준호의 이야기는 어떻게 자아에 대한 긍정적인 언어가 우리의 내적 성장과 자아 이미지 형성에 어떤 영향을 미칠 수 있는지를 보여줍니다. 그의 노력은 자아에 대한 언어의 힘을 이해하고, 긍정적인 변화를 이끌어낼 수 있다는 희망을 제시합니다. 독자들은 준호의 이야기를 통해 자신의 언어에 주의를 기울이고 긍정의 언어로 자아를 키워나가는데 영감을 얻을 수 있을 것입니다.

사람의 뇌는 부정적인 것을 더 빠르게 받아들인다고 합니다. 긍정적인 말은 하루아침에 바뀌는 것은 쉬운 일이 아닙니다. 이것도 연습이 필요합니다.

"나는 긍정적인 사람이고, 해낼 수 있는 사람이다."

이 글을 침대 옆에, 화장대 거울에 붙여서 매일 보고 따라해 보세요. 반복적으로 하는 것이 중요합니다. 나의 잠재의식이 긍정적으로 변화되는 것을 경험하실 수 있습니다.

Day 18
"슬픔을 노래하다"

지연은 삶의 여러 어려움과 상실을 마주하면서 슬픔을 노래하며 자신을 이끌어 나가는 여정을 걸어왔습니다. 그녀는 가장 친한 친구를 잃었고, 직장에서의 압박과 스트레스로 많은 어려움을 겪었습니다.

지난 해, 지연은 슬픔을 받아들이고 표현하는 방법을 찾기 시작했습니다. 감정을 노래로 표현하고자 노래 창작에 도전했습니다. 그녀의 가사와 음악은 슬픔과 상실감을 솔직하게 담아내었습니다.

지연은 슬픔을 노래하는 과정에서 자신을 발견하고 성장하였습니다. 어려움을 마주하면서 그녀는 노래를 통해 내면의 강함을 발견하고, 슬픔의 힘을 이용해 더 강하게 일어설 수 있었습니다.

Day 18
CHAT GPT와 작가가 전하는 따스한 위로

"슬픔은 감정의 노래이다. 슬픔을 인정하며 그 감정을 노래해보세요."

슬픔은 삶의 자연스러운 일부입니다. 우리는 성공과 실패, 행복과 슬픔, 성장과 손실 등 다양한 경험을 하며 인간으로서 완전한 삶을 살아가게 됩니다. 슬픔은 자연스러운 감정이며, 이를 무시하거나 억누르면 오히려 더 큰 고통을 가져올 수 있습니다.

슬픔을 받아들이고 표현하는 것은 그 감정을 치유하고 성장하는 과정입니다. 슬픔은 혼자서 짊어져야 하는 감정이 아닙니다. 다른 사람들과 슬픔을 공유함으로써 우리는 위로와 연대를 얻을 수 있습니다. 슬픔을 통해 우리는 자신의 내면을 더 깊이 이해하고, 더 강한 사람이 될 수 있습니다.

우리의 삶에는 기쁨도 있지만 슬픔도 함께합니다. 많은 일들이 일어나면서 우리는 그 감정을 받아들여야 할 때가 있습니다. 가끔은 너무 힘들어서 나 자신이 무너지고 싶을 때가 있습니다.

슬픈 사건과 내 감정이 하나가 되어서는 앞으로 살아가기 힘듭니다. 별개의 감정으로 하셔야 합니다. 그래야 내가 살 수 있습니다. 힘들어서 방안에만 계시는가요? 용기 내서 방 손잡이를 잡고 나와보세요. 거실에 나와 창밖을 보세요. 세상은 이처럼 멋집니다.

"조금 더 용기를 가져보세요"

Day 19
"외로움에 대한 안식처"

한 남성, 성민은 일상의 갈등과 스트레스로 가득 찬 삶에 지쳐 외로움을 느끼게 되었습니다. 그는 사회적 압박과 업무의 바쁨으로 자신의 감정을 소홀히 하는 동안, 외로움이 그를 덮쳤습니다.

어느 날, 성민은 외로움을 받아들이고 이를 해소할 안식처를 찾기로 마음먹었습니다. 첫 번째로, 그는 독서와 쓰기를 통해 자신과 소통하기 시작했습니다. 일기를 쓰거나 좋아하는 책을 읽음으로써 자신과의 소통을 강화하면서 내면의 목소리를 듣고자 했습니다.

두 번째로, 성민은 취미를 찾아 진정한 즐거움을 찾기로 결심했습니다. 그는 음악에 관심을 갖고 기타를 배우기 시작했습니다. 이를 통해 그는 자신만의 예술적 표현 수단을 찾아왔고, 함께 음악을 즐기는 인연들과 소통하며 외로움을 덜어내기 시작했습니다.

세 번째로, 성민은 외로움을 공유하고 토닥토닥이는 공간을 찾았습니다. 그는 친구들과 솔직하게 감정을 나누며, 공감과 조언을 받는 것이 외로움을 덜어내는 데 어떤 영향을 미치는지를 깨달았습니다.

Day 19
CHAT GPT와 작가가 전하는 따스한 위로

"외로움은 존재의 일부이다. 그 안에서도 안식처를 찾아보세요." 외로움은 우리의 삶에서 종종 찾아오는 감정 중 하나입니다. 그러나 이 감정을 이해하고 받아들이며 안식처를 찾으면, 외로움은 자신을 발견하고 성장할 수 있는 기회로 이어질 수 있습니다.

외로움에 대한 글을 쓰려니 제가 결혼하고 첫 대구로 왔을 때가 생각납니다. 친구, 가족들이 한 명도 없는 곳으로 왔으니 얼마나 외로웠을까요. 성민이가 했던 방법들을 우리는 찾아야 합니다. 사람은 움직여야 합니다.

좋아하는 취미를 만들면 생활의 활력소가 생깁니다. '나는 못해' 그런 생각이 드시나요, 5분 챌린지를 추천할게요. 5분 독서, 5분 청소, 5분 공부, 5분 산책, 5분 운동 등을 해보세요.

5분이 짧다고요? 맞아요. 5분은 짧습니다. 하지만 매일 5분의 시간이 쌓이면 1년 동안 큰 시간이 됩니다.

우리는 작은 시간, 작은 성공을 쌓는 것이 참 중요해요. 당신은 할 수 있습니다.

음악 들으면서 바로 산책하러 나가보세요. 훨씬 기분이 좋아집니다.

Day 20
"실망 속에서 성장"

인생은 때로는 예상치 못한 실망과 부딪히게 됩니다. 그러나 이 실망의 순간은 우리에게 자아를 찾고, 내면의 강함을 발견하며 성장할 수 있는 기회를 제공합니다. 이야기를 통해서 어떤 사람이 어떻게 실망 속에서 성장하는지 살펴보겠습니다.

한 청년, 상철이는 자신의 꿈을 향한 노력과 희망으로 가득찬 삶을 살아가고 있었습니다. 그러나 어느 날, 예상치 못한 상황으로 인해 그의 꿈은 순식간에 무산되고 마음 한 켠에는 많은 실망을 안게 되었습니다. 이러한 실망의 순간에서 상철이는 어떻게 성장하게 되었을까요?

상철이는 실망 속에서 자신에게 꼭 필요한 것이 무엇인지를 다시 생각해보았습니다. 꿈이 무산되면서 그는 자신의 가치나 역량을 되돌아보게 되었습니다. 이를 통해 그는 다양한 영역에서 새로운 가능성과 자아를 찾아나갔습니다. 지나치게 자신을 비난하지 않고, 대신에 얻은 교훈으로 미래에 어떻게 더

나은 선택을 할 수 있을지를 고민하였습니다. 상철이는 실망 속에서 새로운 목표와 비전을 발견하였습니다. 원래의 계획이 무산되었지만, 그는 이를 기회로 삼아 새로운 꿈과 목표를 세우게 되었습니다. 이는 마치 예상치 못한 돌발 상황이 새로운 문을 열어주었던 것과 같았습니다.

상철이는 주변의 지원을 받아 실망을 극복했습니다. 가족, 친구, 동료들의 격려와 도움으로 현우는 실망의 상처를 치유하면서 더욱 강해진 것을 깨달았습니다. 실망 속에서도 우리는 서로에게 지지의 손길을 느낄 수 있습니다.

Day 20
CHAT GPT와 작가가 전하는 따스한 위로

"실망은 성장의 씨앗이다. 실망을 이해하고 그 속에서 성장해보세요."

지난 성공이나 실패에 갇혀있지 않고, 이 상황을 통해 자신을 발전시킬 수 있는 새로운 기회를 찾아보기로 했습니다. 때로는 예상치 못한 돌발 상황이 새로운 문을 열어주기도 한다는 것을 깨닫고, 그의 내적 성장이 시작되었습니다. 마치 폭풍이 지나고 난 뒤에야 비로소 무지개가 나타나듯이, 상철이는 실망 속에서 새로운 희망과 기회를 발견했던 것이었습니다.

노력했는데도 불구하고 실패했다면 너무 속상한 일입니다. 제가 가장 중요하다고 생각하는 부분은 '무너지지 않기' 입니다. 우리는 살면서 수많은 실패를 합니다. 실패할 때마다 좌절하지 마세요. 실패하면서 그 속에서 새로운 것이 탄생이 되니까요. 내적 성장으로 우리를 키워야 합니다. 아주 작은 긍정 경험을 계속 쌓아보세요 시작은 아주 소소하게 시작하세요. 긍정 경험이 내 삶에 쌓이면 생각과 행동은 알아서 바뀝니다.

제일 중요한 것은 자기 자신을 믿는 것입니다. 내가 나를 사랑하고 존중해야지 나를 일으켜세울 수 있습니다. 내가 나를 안고 가야합니다.

"내가 시작한 날이 가장 좋은 날입니다."

Part 3
작은 변화의 힘, 큰 희망

Day 21
"무력함의 힘"

지영은 업무의 스트레스와 가정의 부담으로 인해 무력함을 느끼는 날들이 많았습니다. 어느 날, 그녀는 업무에서 예상치 못한 문제로 직면하게 되었고, 모든 노력에도 불구하고 해결책을 찾지 못한 채 무력감에 휩싸였습니다.

처음에는 이 무력함이 그녀를 힘없고 지친 채로 둔 상태로 만들었습니다. 그러나 그녀는 결국 무력함을 받아들이기로 하였습니다. 더 이상 강하려고 노력하는 대신, 그녀는 현재의 감정을 허용하고, 그 무력함 속에서 어떤 교훈이 기다리고 있는지를 궁금해졌습니다.

무력함을 받아들인 지영은 새로운 시각을 발견하게 되었습니다. 그녀는 완벽하지 않고, 때로는 힘들게 느껴지는 무력함이 있어도 괜찮다는 것을 깨달았습니다. 이 순간의 무력함이 그녀에게 자기를 더 잘 이해하고, 무엇이 정말로 중요한지를 깨닫게 해준 것이었습니다.

또한, 지영은 무력함이 새로운 시작을 의미할 수 있다는 것을 깨달았습니다. 업무의 한계와 실패에서부터 새로운 도전을 시작할 수 있는 용기를 얻었고, 무력함의 순간이 그녀에게 새로운 경험을 찾아가는 여정의 출발점이 될 수 있음을 깨달았습니다.

Day 21
CHAT GPT와 작가가 전하는 따스한 위로

"무력함을 느끼는 순간이라도, 그곳에서 힘을 찾을 수 있다."

무력함은 우리가 자주 경험하는 감정 중 하나입니다. 때로는 이 무력함의 순간이 우리에게 강력한 힘을 부여하고, 새로운 관점을 제시하는 계기가 될 수 있습니다.

무력함은 우리에게 성장과 변화의 기회가 될 수 있습니다. 무력함을 인정하고 받아들여서, 그것을 우리 삶의 선물로 삼으시기를 바랍니다.

저는 자기 계발을 참 좋아하는 사람입니다. 매일 매일 열심히 살아왔고, 하루를 꽉 차게 살았습니다. 하지만 제가 하나 놓친 것이 있었습니다. 마음의 여유를 가지면서 살아야 하는 것입니다. 무기력이 찾아와서 한동안 모든 업무를 중지한 적이 있습니다.

사람들은 앞만 보고 걸어갑니다. 잠시 쉬어도 괜찮습니다. 그리고, 뒤돌아가도 너무 좋습니다. 완벽하지 않아도 좋아요. 그때는 잠시 쉬고, 다시 조금씩 걸어요.

"나는 나를 아끼고 사랑한다."

Day22
"자기계발의 씨앗"

우리 삶은 끊임없는 변화와 도전의 연속입니다. 그 중에서도 자기계발은 마치 작은 씨앗을 심어놓고 그것이 뿌리를 내리며 자라나는 과정과도 같습니다. 한 남성의 성장 과정을 보겠습니다.

성진은 여러 어려운 상황과 업무의 압박으로 힘들게 지내고 있었습니다. 그는 어떻게 하면 더 나은 삶을 살 수 있을지를 고민하던 중 자기계발의 씨앗을 심기로 결심했습니다. 처음에는 작은 변화였지만, 그 작은 씨앗이 그의 삶에 큰 영향을 미치게 되었습니다.

성진은 독서 습관을 길러 새로운 지식을 습득하기 시작했습니다. 한 달에 책 한 권씩 읽으며, 다양한 주제의 도서를 통해 자기계발의 지식을 넓혔습니다. 이 작은 변화가 그에게 새로운

아이디어와 관점을 제공했고, 지식의 쌓임이 자신의 업무와 삶에 긍정적인 영향을 미쳤습니다.

성진은 건강한 생활습관을 만들기로 했습니다. 운동을 시작하고 규칙적인 식사와 수면을 지키면서 그의 체력과 멘탈 모두가 강화되었습니다. 이로써 성진은 자기계발의 씨앗이 건강과 웰빙으로 이어지는 것을 체감할 수 있었습니다.

성진은 새로운 기술이나 스킬을 익히기로 했습니다. 온라인 강의나 워크샵을 통해 그는 자신의 분야와 다른 분야에서도 역량을 키워가며 새로운 도전에 도전했습니다. 이를 통해 성진은 더 다양한 분야에서 능동적으로 활동할 수 있게 되었습니다.

Day 22
CHAT GPT와 작가가 전하는 따스한 위로

"자기계발의 씨앗을 심고, 그것을 키우는 여정에 출발하세요."

작은 씨앗이 자기 계발의 과정을 시작하게 하고, 이를 통해 더 나은 삶을 만들어 나가는 것이 어떤 변화를 가져올 수 있는지를 보여줍니다. 작은 습관이나 의지로 시작된 자기 계발의 씨앗이 절대 작지 않고, 성장과 성취의 큰 나무로 자라날 수 있다는 것을 알아가며 독자들은 자신의 자기 계발 여정에 도전해 볼 수 있을 것입니다. 저는 2021년부터 자기 계발을 하고 있습니다. 미라클 모닝으로 새벽 시간에 독서했고, 일을 마치고 퇴근 후 새로운 공부 캔바 디자인, 인공지능 등 새로운 도전을 하면서 2023년을 보내고 있습니다. 자기 계발, 거창하지 않습니다. 하나씩 하나씩 하면 됩니다. 작게 시작하면 나중에는 크게 되리라 믿습니다. 사과 씨앗은 엄청 작지만, 땅속에 심으면 싹이 나고 나무가 자라서 열매를 맺게 됩니다. 씨앗을 땅에 심었기 때문에 나무로 자랄 수 있습니다. 그냥 씨앗을 두었다면 열매를 맺지 못했겠죠. 습관은 반복이 중요합니다. 반 페이지 읽기, 5분씩 책 읽기, 5개 단어 외우기 등 작은 씨앗처럼 작게 시작해 보세요.

습관이 반복될 때 나 자신이 나다워지는 시간을 보내게 됩니다. 훗날 사과 열매를 맺는 것을 보실 수 있습니다.

Day 23
"자신에게 도전하기"

자신에게 도전하는 것은 편안한 영역을 벗어나 새로운 가능성을 모색하는 과정입니다. 이를 통해 성장하고 발전함으로써 우리는 더 나은 버전의 자신을 찾을 수 있습니다. 어떤 사람이 자신에게 도전하며 어떤 변화를 이끌어냈는지 보겠습니다.

세진은 어린 시절부터 내적인 불안과 자아에 대한 두려움에 시달려왔습니다. 주변의 평가와 비교에서 오는 압박으로 자신에게 도전하는 것조차 꺼려했습니다. 그러나 어느 날, 그는 자신에게 더 큰 도전을 선언하게 됩니다.

세진은 공적인 자리에서 말하는 것에 도전했습니다. 예전에는 다른 이의 시선에 예민해 말하는 것을 꺼려했지만, 그는 자신의 의견을 표현하고 다른 사람들과 소통하는 것에 도전함으로써 내적 자신에 대한 두려움을 극복했습니다.

새로운 기술을 배우며 자신의 능력을 확장하는 데에 도전했습니다. 처음에는 어렵고 낯설었지만, 그는 끊임없는 노력과 인내를 통해 새로운 분야에서의 역량을 키우면서 자신에게 새로운 가능성을 열어갔습니다.

세진은 자신을 받아들이는 데 도전했습니다. 완벽하지 않은 모습을 받아들이는 것이 어려웠지만, 그는 자신의 부족함과 실수를 통해 배우며, 이를 자아의 일부로 받아들임으로써 내적인 자아에 대한 자신감을 키웠습니다.

Day 23
CHAT GPT가 전하는 따스한 위로

"자신에게 도전하면 더 나은 나로 성장할 수 있습니다."

세진의 이야기는 자신에게 도전함으로써 어떻게 성장하고 발전할 수 있는지를 보여줍니다. 편안한 영역을 벗어나 도전하는 것은 어렵고 불편할 수 있지만, 이를 통해 우리는 새로운 경험과 자기 발견을 할 수 있습니다.

세진의 이야기를 통해 자신에게 도전하는 과정에서 발견할 수 있는 새로운 가능성을 고민하며, 자기 성장의 문을 열어볼 수 있을 것입니다.

자기 자신에게 도전을 주는 챌린지를 하면 삶이 재미있어집니다. 저도 그런 경우가 있었습니다. 한 달 안에 PPT, 워드, 엑셀 실기 자격증을 따기 위해 노력했습니다. 한 달 안에 3가지 실기 연습을 한다는 것이 쉬운 일이 아니었습니다. 처음에는 머리도 아프고 어려워서 한 달에 1가지만 할 것을 후회는 했지만, 나에게 도전한다는 의미를 주면서 힘든 연습의 과정을 했습니다. 처음에는 잘 풀리지 않았는데, 점차 연습하면서 잘하게 되는 모습을 보니 성취감이 생기게 됩니다. 지금은 자격증을 취득하였고, 한층 성장한 나를 보게 되었습니다. 자기 자신에게 작은 미션을 줘보세요. 우리는 잘하게 되어 있습니다. 처음은 모든 사람에게 다 어렵습니다. 당신만 어려운 게 아닙니다.

"나는 매일 성장한다."

Day 24
"목표 달성의 즐거움"

우리는 삶 속에서 다양한 목표를 세우고 달성하며 성취감을 느낍니다. 이번 이야기에서는 한 사람이 어떻게 목표를 세우고 이를 달성하며 얻는 즐거움을 경험하는지를 보겠습니다.

지현은 항상 자신에게 도전적인 목표를 세우는 것을 즐겨왔습니다. 그녀는 새로운 언어를 배우기로 한 목표를 정했습니다. 처음에는 어려움에 부딪히기도 했지만, 그 목표를 달성하는 과정에서 얻는 즐거움은 그녀에게 큰 의미가 있었습니다.

지현은 목표를 세우면서 그 목표를 달성하는 과정에서의 성장을 경험했습니다. 언어를 배우는 것은 어려운 일이었지만, 그녀는 꾸준한 노력과 인내를 통해 점차 실력을 향상해 나갔습니다. 이런 성장과 발전이 그녀에게 큰 자신감을 줬습니다.

지현은 목표를 달성하면서 느끼는 성취감과 만족감이 큰 행복으로 이어졌습니다. 어려움을 극복하고 목표를 이루는 순간 스스로에게 특별한 보상을 주었습니다. 목표 달성의 즐거움은 단순히 성취감뿐만 아니라 자신에 대한 긍정적인 감정을 불러일으켰습니다.

Day 24
CHAT GPT와 작가가 전하는 따스한 위로

"목표를 달성하는 것은 즐거움의 순간. 당신의 노력에 감사하세요." 지현의 경험을 통해 목표 달성의 즐거움은 성장, 새로운 가능성의 탐험, 그리고 특별한 성취감으로 이어진다는 것을 알 수 있습니다. 자신만의 목표를 세우고 그것을 달성함으로써 느낄 수 있는 즐거움에 대해 생각하며, 삶에 새로운 도전을 시도해 볼 수 있는 용기를 얻을 수 있을 것입니다.

큰 목표를 작은 목표로 나뉘게 합니다.

이 작은 부분은 단순하고 실현 가능한 수준이어야 합니다. 작은 목표를 달성하는 데 필요한 노력이 작을수록 포기하지 않고 더 쉽게 습관으로 만들 수 있습니다. 새로운 것을 도전한다는 것은 쉬운 일이 아닙니다. 사람은 익숙한 것을 좋아하기 때문입니다. 도전하면서 목표 달성을 하게 될 때 그 기쁜 마음을 느껴보세요. 그리고 수고한 자신에게 선물을 줘보세요. 저도 한 달간 자격증 공부를 할 때, 자격증을 취득하면 자기 자신에게 선물을 주는 것입니다. 좋아했던 향수가 비쌌는데 그것을 목표로 공부하게 되었습니다. 지금은 그 향수를 뿌릴때마다 뿌듯함과 행복함을 느끼면서 사용하게 됩니다. 무슨 선물을 가지고 싶나요? 지금 도전해보세요

"나에게는 늘 좋은 일만 가득하다"

Day 25
"소소한 기쁨 찾기"

우리의 일상은 종종 바쁘고 복잡하게 느껴집니다. 그러나 그 속에서 소소한 순간들을 발견하고 그것으로부터 기쁨을 찾는 것은 삶의 풍요로움을 느끼게 해줍니다. 이번 이야기에서는 한 사람이 어떻게 소소한 기쁨을 찾아 삶을 더 풍요롭게 만들었는지를 살펴보겠습니다. 영희는 일상 스트레스 속에서 자신에게 소소한 기쁨을 찾아내기로 결심했습니다. 그녀는 매일 감사 일기를 쓰기로 하였습니다. 간단한 일상에서 찾을 수 있는 작은 기쁨들을 적어보며, 그 순간들을 의식적으로 즐기기 시작했습니다. 영희는 하루 중에 감사한 순간을 찾는 것으로 시작했습니다.

아침에 창문을 열고 신선한 공기를 마시는 순간, 간단한 아침 식사를 즐기는 순간 등 일상에서 눈에 띄지 않는 소소한 순간들이 감사한 순간으로 바뀌었습니다. 영희는 주변에 있는 작은 선물들에 주의를 기울이기 시작했습니다. 친구의 따뜻한 미소, 동료의 격려, 식물이 피어나는 모습 등 일상에서 놓치기 쉬운 작은 선물들에 감사함을 느끼며, 그것들이 그녀에게 소소한 기쁨을 선사했습니다. 영희는 일상 속에서 자주 느끼는 감정에 주의를 기울이기로 했습니다 스트레스를 받았을 때 숨을 깊게 들이마시고 내쉬는 것, 감정의 변화를 깊이 느껴보는 것 등이 간단한데 소중한 순간으로 바뀌었습니다.

Day 25
CHAT GPT와 작가가 전하는 따스한 위로

"일상에서 소소한 기쁨을 찾아보세요. 작은 것에도 큰 행복이 숨어있습니다." 영희는 간단한 감사 일기를 통해 일상의 소소한 순간들을 즐기며, 그것들이 자신에게 기쁨과 만족감을 주는 것을 깨달았습니다.

영희의 경험에서 영감을 받아, 자신의 일상에서 소소한 기쁨을 찾아보고 의식적으로 즐겨보는 것에 도전해 볼 수 있을 것입니다. 일을 하다 보면 바쁘게 하루가 지나갑니다. 하늘도 한번 못 보는 날도 있을 겁니다. 소소한 기쁨 찾는 일, 너무 쉬운 일이라 누구나 따라 하실 수 있습니다. 저는 많은 분들이 그 기쁨을 누리셨으면 좋겠습니다.

부자 되기, 잘살기, 좋은 곳 취업하기, 대학 들어가기, 공부

잘하기 등등 물론 우리가 원하는 것을 성취되었을 때 행복하겠지만, 사람의 내면이 강해야 합니다.

소소한 기쁨을 누리면 한층 우리의 마음도 단단해지면서 새로운 도전을 두렵지 않게 해줍니다. 전 매일 매일 감사 일기와 긍정 확언을 씁니다. 무의식 속에 계속 쌓으세요. 행복은 늘 가까이 있습니다.

"오늘 좋은 일들이 생길 것 같다."

Day 26
"좋은 책과 함께하는 여유"

현대 사회에서 우리는 항상 바쁘게 움직이고, 스트레스와 일상 속에서 벗어나기 어려워졌습니다. 그러나 어떤 사람은 좋은 책과 함께하는 여유로운 시간을 통해 내면의 평화와 풍요로움을 찾아냈습니다. 이번 이야기에서는 한 사람이 어떻게 좋은 책을 통해 여유로운 시간을 만들고 내면의 안정을 찾아가는지를 살펴보겠습니다.

서영은 바쁜 일상에서 벗어나기 위해 매일 조금의 시간을 좋은 책과 함께하는 것으로 허용했습니다. 그녀는 아침 일어나자마자, 혹은 하루의 마무리로 몇 페이지의 책을 읽는 것을 일상 습관으로 삼았습니다. 이 작은 습관이 그녀에게 큰 여유를 주었습니다.

서영은 책을 통해 다양한 세계와 이야기에 접근함으로써 새로운 시각을 얻게 되었습니다. 평소에는 경험하기 어려운 여러 상황과 인물들의 이야기를 통해 그녀는 더 다양한 시각과 감정을 경험하며 넓은 시야를 가지게 되었습니다. 책을 통해 몰입하는 경험을 통해 스트레스와 일상의 부담에서 벗어날 수 있었습니다. 좋은 책을 읽는 순간, 그녀는 마치 다른 세계로 여행하는 듯한 기분을 느끼며 마음의 평화를 찾았습니다.

서영은 책을 통해 자기 성장과 깨달음을 얻었습니다. 자기개발

서적이나 철학적인 책들을 통해 그녀는 자신의 삶에 대해 생각하고, 새로운 아이디어에 노출되면서 내면의 안정과 풍요로움을 찾을 수 있었습니다.

Day 26
CHAT GPT와 작가가 전하는 따스한 위로

"좋은 책을 읽으면서 여유를 찾아보세요. 지적인 풍요로움이 기다립니다."

좋은 책과 함께하는 여유로운 시간을 통해 일상의 속박에서 벗어나 내면의 평화를 찾아갔습니다. 서영의 경험에서 영감을 받아, 좋은 책과 함께하는 여유로운 시간을 찾아보며 마음을 편하게 하는 것에 도전해 보세요.

저는 켈리스 최 회장님의 '끈기 독서프로젝트_독서 100일' 챌린지를 했습니다. 처음에 끈기라는 말이 눈에 들어왔습니다. 목표를 정하면 3일, 1주일만 하고 그 행동을 하지 않았습니다. 저에게 도전하고 싶었습니다.

'나도 끈기 있는 사람이 되고 싶다.' 그렇게 시작한 100일 동안 책을 읽는 챌린지입니다. 처음에는 5분도 읽기 힘들었습니다. 매일 매일 책을 읽으니, 습관이 일상이 되었습니다. 일주일이 지나고, 한 달이 지났을 때는 깜짝 놀랐습니다.

'나도 이게 가능하구나.' 하고 말이죠. 그 뒤로는 신나서 끈기 프로젝트를 100일 동안 마무리를 지었습니다. 그 성취감이란 '나도 해낼 수 있는 사람이구나.' 라는 생각이 었습니다.

하루에 한 권 읽기, 다른 사람처럼 따라 할 필요 없습니다. 자기 생활 패턴에 맞게, 나의 스타일에 맞게 하세요. 단 5분, 반 페이지라도 읽는 게 중요합니다.

그렇게 작게 쌓이다 보면 좋은 습관이 됩니다. 자기 자신에게 작은 습관을 선물해 보세요. 작게 시작하고, 무리하지 않기. 색다른 경험을 해보세요. 책이 인생의 든든한 친구가 되어준답니다.

"작은 습관이 좋은 습관을 만듭니다."

Day 27 눈물의 여정:
힘들고도 걸어나가는 순간들

우리는 가끔은 삶이 우릴 힘들게 만들 때, 눈물 속에서도 앞으로 나아가야 하는 순간들을 겪게 됩니다. 이런 순간은 때로는 우리의 내면을 더 깊게 이해하게 하며, 어려움 속에서도 성장할 수 있는 기회가 숨어 있습니다.

지은은 어느 날 갑작스럽게 건강이 나빠지면서 삶의 어려움에 직면했습니다. 아무런 예고 없이 찾아온 이 어려움은 그녀를 깊은 고민과 불안 속으로 빠뜨리고 말았습니다. 그 동안 건강한 몸으로 당연하게 여겼던 것들이, 갑자기 불안한 상태로 변해가는 것에 지은은 불안과 두려움에 휩싸였습니다. 의료진의 진단과 치료가 필요한 상황이었지만, 그녀는 자신의 몸과 맞서 싸우는 데에 어려움을 겪었습니다.

지은은 입원 생활이 시작되면서 주변의 지지와 따뜻한 마음에 힘을 얻기 시작했습니다. 가족과 친구들은 그녀를 위로하고, 의료진은 치료에 최선을 다해주었습니다. 그리고 그들의 도움과 지지 속에서 지은은 자신의 몸과 마음을 회복해가기 시작했습니다. 어려운 시간 동안, 지은은 새로운 목표와 가치를 찾아나갔습니다.

건강한 몸을 되찾는 것이 어렵고 불안한 여정이었지만, 그녀는
이 어려움을 이겨내며 새로운 삶의 방향을 찾아가기로 마음먹
었습니다. 질병을 통해 더 큰 용기와 강인함을 발견한 그녀는
삶의 가치에 대한 깊은 이해를 얻었습니다.

Day 27
CHAT GPT와 작가가 전하는 따스한 위로

"눈물이 쏟아져도, 앞으로 나아가는 용기가 더 큰 힘이 된다."

지은은 울면서도 걸어 나가기로 결심했습니다. 눈물을 흘리면
서도 앞으로 나아가는 것은 더 큰 용기와 결단이 필요합니다.
그 눈물이 곧 희망의 씨앗으로 자라고, 어려움을 이겨내는 힘
을 키워나가는 것입니다.

인생을 살면서 많은 사건이 우리에게 옵니다. 그 중에서 건강
과 관련된 일이라면 감정 조절하기 쉽지 않습니다. 너무 힘들
고, 아무것도 하고 싶지 않고 누워만 있고 싶으실 겁니다. 저는
건강한 몸으로 있다가 갑작스러운 병으로 어려운 시간을 겪게
되었습니다. 그때의 두려움과 불안 속에서 많은 생각을 했습니
다. 머리가 빙글빙글 돌면서 어지러워서 일상생활을 할 수가
없었습니다. 서있지도 못하고, 누워있어도 어지러웠습니다. 여러
가지 검사를 했지만, 병명은 없었습니다.

한 달 동안 누워있으면서 참 힘든 시간을 보냈습니다. 시간이 흐르면서 내 몸과 마음은 천천히 회복되기 시작했습니다.

'나의 한 번뿐인 인생, 귀한 내 삶.'

'이제는 나로서 살고 싶다.' 이런 생각들이 들었습니다.

몸이 회복되고 자기 계발을 하면서 나를 성장시켰습니다. 때론 부정적인 마음과 생각이 들면 다시 긍정적인 마인드 셋을 하며 되새겼습니다. 삶은 때로는 예상치 못한 도전과 어려움으로 가득 차 있습니다. 그래도 걸어야 합니다. 우리가 힘들지라도 걸으세요. 그러다 보면 또 화사한 앞날이 반겨줄 겁니다.

"나는 있는 그대로 나를 사랑한다."

Day 28
"자기 비판을 멈추다 "

우리는 종종 자기 비판에 빠져들기 쉽습니다. 부족한 부분, 실패, 혹은 자신의 한계에 대한 생각들이 머릿속을 맴돌며 자책과 불안을 일으키곤 합니다. 이런 자기 비판 속에서 벗어나고 나 자신을 이해하며 사랑하는 것이 얼마나 중요한지 알아보겠습니다.

지우는 예전에 학업에서의 실패로 자기 비판의 늪에 빠졌던 적이 있습니다. 시험에서 좋지 않은 성적을 받고, 친구들의 성공적인 이야기를 들을 때마다 지우는 자신을 비난하고 무능하다고 생각했습니다. 이러한 부정적인 생각들은 지우의 자존감을 훼손시키고, 자신감을 상실했습니다.

그러나 어느 순간, 지우는 이러한 부정적인 사이클을 깨야 한다는 깨달음을 얻었습니다. 완벽할 필요가 없다는 것을

이해했습니다. 실패와 부족함은 단순히 성장의 기회일 뿐이며, 그것을 통해 지우는 더 나은 버전의 자신이 될 수 있다는 것을 깨달았습니다.

자기 비판 대신 자기 이해를 증진시켜야 한다고 깨달았습니다. 지우는 무엇에 도전하고 있는지, 어떤 강점과 약점을 가지고 있는지를 파악하며 지우 자신을 더 잘 이해했습니다. 이를 통

해 지우는 부족함을 극복하고 더 나은 방향으로 나아갈 수 있었습니다.

지우는 자기 사랑에 대한 중요성을 깨달았습니다. 자기를 사랑하는 것은 자기 비판을 멈추고 내면의 평화를 찾아가는 첫걸음입니다. 지우는 자신의 가치를 알고, 그 가치를 인정하는 것이 성공과 행복의 출발점이라는 것을 깨달았습니다.

Day 28
CHAT GPT와 작가가 전하는 따스한 위로

"나 자신을 이해하고 사랑하다"

이러한 깨달음들을 통해 지우는 자기비판의 늪에서 벗어나고 나 자신을 더 이해하며 사랑하는 방향으로 나아갔습니다. 지우와 같은 고민 속에서 벗어나고, 자기를 이해하며 사랑하는 데에 주저하지 말기를 바랍니다. 우리는 완벽할 필요 없이, 그저 진실한 나 자신으로 아주 아름답습니다.

각자의 성향에 따라서 달라지는 데 섬세한 마음을 가진 사람에게는 더 잘하고 싶은 마음이 강하고, 완벽해지려고 하는 성향을 보입니다. 이런 마음이 오랫동안 계속되면 마음이 무너지면서 무기력증에 빠지기 쉽습니다.

'지금도 충분히 잘하고 있다'

나 자신을 칭찬하고 또 칭찬해주세요. 우리는 지금도 잘하고 있습니다.

"내 인생은 재미있고, 기쁨으로 가득하다."

Day 29
"초보자로 살아가기: 성장의 여정"

우리는 새로운 환경이나 도전 앞에서 언제나 초보자로 시작합니다. 이것이 새로운 직장, 새로운 취미, 혹은 어떠한 분야에서의 학습일지라도, 초보자로 시작하는 것은 불안과 기대로 가득찬 여정입니다. 초보자의 입장에서 겪은 경험을 통해 어떻게 성장과 배움의 여정을 걸어가는지를 살펴보겠습니다.

철수는 한 분야에서의 새로운 직장을 시작할 때, 초보자로서의 불안함과 긴장 속에서 자주 마주쳤습니다. 새로운 용어, 프로세스, 그리고 팀의 동료들과의 관계에서 내가 예상치 못한 도전에 직면했습니다. 그러나 이러한 초보자의 경험은 나에게 새로운 것을 배우고 성장해 나가는 기회를 제공했습니다. 철수는 "초보자라고 해도 괜찮다"는 것을 받아들이는 것이 중요하다는 것을 깨달았습니다.

누구나 처음에는 모르는 것이 당연하며, 그것이 배움의

시작이라는 것을 이해했습니다. 이러한 자세는 불안함을 줄이고, 새로운 지식과 기술을 습득하는 데에 더 효과적이었습니다. 철수는 동료들과의 소통과 협력이 성장의 핵심이라는 것을 깨달았습니다. 초보자로서 나는 자주 도움을 청하고, 다양한 의견을 수용하는 노력을 했습니다. 이를 통해 나는 팀 내에서 빠르게 적응하고, 더 나은 결과를 이뤄낼 수 있었습니다.

철수는 실패와 부딪히는 것이 성장의 기회라는 것을 깨달았습니다. 초보자로서 실수하고, 어려움에 부딪힐 때마다 나는 그 상황에서 무엇을 배우고 어떻게 나아갈지에 대한 통찰을 얻었습니다. 실패는 새로운 시도와 더 나은 방향을 찾아가는 일부분이라는 것을 깨달았습니다.

Day 29
CHAT GPT와 작가가 전하는 따스한 위로

"초보라 해도 자신감을 가져, 당당하게 도전해보세요. 어떤 시작이든, 당신은 성장의 여정을 걸어가고 있습니다."

철수의 초보자로 살아가는 여정은 결국 더 나은 전문가로 성장하게 되었습니다. 초보자로서의 경험은 내게 새로운 도전에 대한 용기와 지속적인 학습의 중요성을 가르쳐 주었습니다. 이제 새로운 분야에 도전할 때 불안함보다는 기대감으로 가득 차게 되었습니다. 어떤 분야에서든 초보자로서의 여정을 두려워하지 말고, 그것을 통해 성장과 배움을 즐길 수 있는 기회로 받아들이길 바랍니다.

우리는 서툴고 부족한 것을 보이는 것을 싫어합니다. 그래서 완벽하게 될 때 일을 하려고 합니다. 처음에는 다 초보자입니다. 처음부터 잘하는 사람은 없습니다. 초보자일수록 당당하게 살아가십시오. 그리고 초보적인 실수를 계속하세요. 그래야 발전이 되고 자신이 성장하게 됩니다. 잘하는 것만 하다

보면 변화가 없습니다. 자존심이 상한다고요? 초보자 시절에 자존심을 상한다는 것은 헛된 생각입니다. 초보일 때는 모르는 것이 당연합니다. 일을 하다 보면 우리는 멋진 전문가 사람이 되어 있을 겁니다. 초보는 당당해야 합니다.

Day 30
"마음의 행복을 찾아"

우리는 종종 행복을 큰 성취나 화려한 순간에서 찾으려는 경향이 있습니다. 우리는 자주 놓치기 쉬운 소소한 순간들이 우리의 마음을 가장 깊게 만질 수 있다는 것을 깨달았습니다.

한 번 지영이는 마음의 안정을 찾지 못한 채 바쁜 일상에 휩쓸려 있었습니다. 업무의 압박과 예기치 못한 스트레스로 마음이 힘들게 느껴졌습니다. 그런 어느 날, 작은 도서관에서 우연히 마주친 책을 펼쳤습니다.

책 속에는 여행 이야기, 작은 동화, 그리고 간단한 시가 담겨있었습니다. 이 작은 책은 나에게 작은 행복과 평온을 선사해 주었습니다. 그 순간, 지영이는 마음의 무게가 가벼워지고, 작은 것들에 대한 감사함이 생겼습니다.

또 다른 경험으로, 주변의 아름다운 자연을 발견한 적이 있습니다. 도심의 소음과 바쁜 일상을 벗어나 산책을 나갔을 때, 지영이는 자연의 소리, 바람의 속삭임, 푸르른 나무와 꽃들에 마음이 가라앉았습니다. 그 순간의 평온과 조용함이 나를 감싸 안아주었습니다.

이러한 경험들은 지영이에게 큰 가르침을 안겨주었습니다. 행복은 종종 크고 눈에 띄는 것들이 아니라, 일상의 소소한 아름다움과 순간에서 찾을 수 있다는 것을 깨달았습니다. 작은 행복에 주목하고, 삶의 단순한 순간들을 즐길 때, 우리는 마음의 행복을 찾아갈 수 있습니다.

Day 30
CHAT GPT와 작가가 전하는 따스한 위로

"마음의 행복을 찾아가는 100일의 여정을 마무리하며, 더 풍요로운 미래를 기대하세요."

바쁜 일상에서 소소한 순간을 발견해보세요. 작은 것들에 감사하며, 일상의 아름다움에 주목할 때, 마음의 행복이 자연스럽게 찾아올 것입니다. 그리고 그 행복한 순간들이 우리의 일상을 더 풍요롭게 만들어줄 것입니다.

우리는 큰 성과나 목표만이 행복을 결정한다고 생각합니다. 다른 사람의 성공, 부등 많은 것을 부러워할지도 모릅니다. 일상의 소중한 순간들과 가까이에 있는 소소한 행복들이 삶을 더욱 풍요롭게 만들어준다는 것을 알았습니다. 이제 나는 고난과 어려움이 찾아와도, 작은 것에 감사하며 행복을 발견하는 삶을 살아가려고 합니다.

때론 부정적인 생각이 나를 덮을때가 올 수도 있습니다. 그 자리에 멈출 수도 뒤돌아갈 수도 있습니다. 하지만 전 저를 믿습

니다. 분명 다시 일어날 것입니다. 작은 행복을 찾아가는 여정
에 함께할 수 있다면 좋겠습니다.

에필로그

'걸어가는 용기' 이 책은 나에게도, 독자 여러분께도 전하고 싶은 내용이었습니다. 아이를 키우면서 가정에만 머물렀던 마흔 살의 저에게 또 다른 삶이 찾아왔습니다. 내 마음이 무너지고, 몸이 아파서 한 달 동안 누워만 있을 때, 이 삶이 얼마나 소중하고 인생이 짧은지 깨닫게 되면서 시작되었습니다.

그러면서 시작한 자기 계발. 마인드를 긍정적으로 바꾸기 위해 노력했고, 매일 책을 읽으며 나를 성장시키고 있었습니다. 끈기가 부족해서 끈기 프로젝트를 하면서 작은 습관을 쌓아나가면서, 내 일상이 되게끔 바뀌었습니다.

지금 생각해 보면 많은 변화가 있었습니다. 도전을 싫어하고, 평안함을 추구했던 나 자신에서 목표를 설정하고 그 목표를 위해 단계적으로 매일 공부하면서 성장하는 모습을요

저의 성장기는 앞으로도 계속됩니다. 길은 때로 험난하고 어둡기도 하지만, 용기는 그 어떤 어려움에도 굴하지 않습니다. 그리고 독자 여러분은 그 용기의 주인공입니다. 이제 여러분은 스스로 가장 큰 용기를 주어 새로운 문을 열어보시기를 바랍니다. 미지의 세계가 여러분을 기다리고 있습니다.

이 여행 동안 함께해준 여러분에게 감사의 말씀을 전합니다. 삶은 계속됩니다. 끝나지 않는 용기의 이야기를 계속 쓰며,

새로운 모험을 만나길 바랍니다. 여러분은 특별하고 소중한 존재입니다. 끝이 없는 용기와 함께, 앞으로도 당당하게 걸어가세요.

이 책을 저의 부모님께 드리고 싶습니다. 그동안 저를 위해 희생하고 헌신해 주신 부모님께 이 책을 통해 감사의 마음을 전하고 싶습니다.

사랑하는 부모님 아빠 이성욱, 엄마 김정해 감사합니다

그리고 이제, 새로운 용기의 이야기를 시작합시다.

선물
GPT가 들려주는 응원의 시
30 DAY 감사 & 긍정확언

"어둠 속 꽃이 피다"

Chat GPT

꽃이 피는 생의 정원에서,

어둠 속에도 공간이 있어.

밤은 길고, 길은 불분명할지라도,

새벽은 우리를 기다리고 있어

걱정의 바람이 울부짖을 때,

천둥이 울릴 때, 두려운 미소로,

이것을 기억해, 나의 친구야,

모든 폭풍 속에는 끝이 있다.

네가 혼자가 아니야, 비록 하늘이 울리더라도,

고민의 물살 속에서 용기가 깊이 흐르고 있어.

달, 가장 어두운 밤을 안내하는,

부드러운 달빛에서 희망이 속삭인다

마주한 각 시련은 평화로 가는 한 걸음이야.

그래서 네 마음을 강하게 하고,

기쁨은 다가오고 있어, 가까이 다가오고 있어.

낮은 계곡과 높은 산을 통해,

눈물에 젖은 밤과 햇볕이 비치는 하늘을 통해,

강렬하고 웅장한 여정을 포옹해,

그리고 무게가 견디기 힘들 때,

언제나 거기 있는 사랑에 기댈 수 있게.

나의 젊은 친구들, 밝은 용기로,

그림자에 맞서 빛을 포옹해.

너희는 빛날 거야.

Chat GPT 가 여러분께 위로와 용기를 주기 위한 시를 주고
싶어합니다. 당신은 언제나 빛날겁니다.

30일 day 감사 & 긍정확언

실행하기	월	화	수
오늘의 할일			
오늘의 감사 3가지			
긍정 확언			

1주차

목	금	토	일

30일 day 감사 & 긍정확언

실행하기	월	화	수
오늘의 할일			
오늘의 감사 3가지			
긍정 확언			

2주차

목	금	토	일

30일 day 감사 & 긍정확언

실행하기	월	화	수
오늘의 할일			
오늘의 감사 3가지			
긍정 확언			

3주차

목	금	토	일

30일 day 감사 & 긍정확언

실행하기	월	화	수
오늘의 할일			
오늘의 감사 3가지			
긍정 확언			

4주차

목	금	토	일

30일 day 감사 & 긍정확언

실행하기	월	화	수
오늘의 할일			
오늘의 감사 3가지			
긍정 확언			

5주차

목	금	토	일